D0551306

Dans la même série, trois autres volumes : 4/6 ans, 10/13 ans. Adolescents.
Nouvelle édition revue et mise à jour.

Éditorial : Bénédicte Servignat et Sandra Berthe
Maquette de couverture : Étienne Hénocq
Remerciements à Agathe Baudet et Marie Renault

ENCYCLOPÉDIE DE LA VIE SEXUELLE

7-9 ans

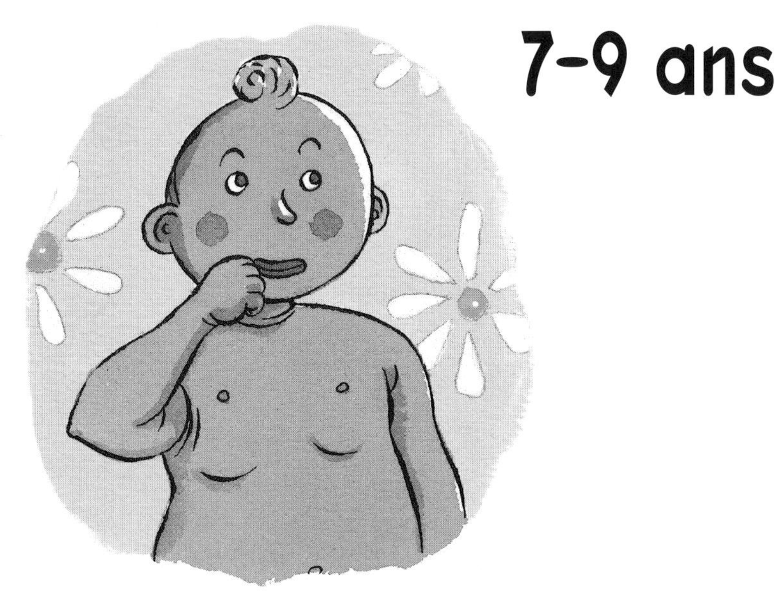

Auteurs

Docteur Christiane Verdoux (Gynécologue)

Ancien interne des Hôpitaux de Paris

Docteur Jean Cohen (Gynécologue-accoucheur)

Ancien Chef de clinique gynécologique et obstétricale à la Faculté de Médecine de Paris

Docteur Jacqueline Kahn-Nathan (Gynécologue)

Ancien Chef de clinique gynécologique à la Faculté de Médecine de Paris

Docteur Gilbert Tordjman (Diplômé d'études de pédiatrie et de gynécologie)

Président fondateur de l'Association mondiale de sexologie

illustrateur

Eric Héliot

Voilà un dimanche après-midi qui s'annonce bien pour Amandine et Florent, jumeaux de sept ans : toute la famille va goûter chez tante Laurence ; de plus, on leur a permis d'emmener Uranus, leur petit chien.
Julie âgée de 12 ans, aurait peut-être préféré aller au cinéma, mais elle est cependant très contente et très fière car maman lui a laissé choisir avec elle les cadeaux destinés à tante Laurence. Des cadeaux, et pas n'importe lesquels !
Les jumeaux regardent tante Laurence ouvrir le paquet. Elle en sort de tout petits vêtements qu'ils connaissent déjà : maman les a tricotés.

Tante Laurence remercie maman et sa nièce. Puis elle leur fait admirer un joli berceau garni de blanc et de bleu.

– C'est pour le bébé, tout ça ? demande Amandine.

– Oui, dit maman. C'est pour le bébé de tante Laurence.

Florent s'étonne :

– Mais il n'est pas là, ce bébé. Où est-il donc ?

Maman fait venir les jumeaux près de tante Laurence qui sourit, et elle leur dit :

– Regardez comme tante Laurence est devenue grosse depuis quelque temps. Eh bien, c'est parce que le bébé est là, dans son ventre. Mais il va bientôt en sortir.

Les jumeaux sont très étonnés, mais ils se taisent : Amandine dorlote sa poupée, Florent taquine Uranus.

Maman bavarde avec tante Laurence et Julie. Papa et oncle Jacques tondent la pelouse. L'heure du goûter approche. Tout le monde parle gaiement du bébé qui va bientôt venir.

Le temps passe vite et à six heures, papa donne le signal du départ.

Il y a quelque temps, oncle Jacques et tante Laurence se sont installés dans une jolie maison avec un beau jardin, qu'ils ont arrangée pour la rendre plus confortable. Et tante Laurence était très contente du résultat. Elle a dit qu'elle aimerait avoir un enfant et oncle Jacques était bien d'accord avec elle.

– Mais comment fait-on pour avoir un bébé ? se demandent Amandine et Florent.

Alors papa leur dit :
– Vous vous êtes sûrement demandés en croisant une dame avec un gros ventre parce qu'elle attendait un enfant, comment une telle chose était possible. Comment un enfant peut-il vivre dans le ventre de sa maman et comment fait-il pour en sortir ? Eh bien, nous allons vous l'expliquer.

Les bébés, vous le savez peut-être, sont fabriqués, oui, réellement fabriqués par le papa et la maman. Ils se servent pour cela de certaines parties de leur corps appelées les organes sexuels. Ces organes, de même que le cœur, les poumons et le cerveau, travaillent sans arrêt, mais on ne les voit pas fonctionner.
Pour décrire le fonctionnement des organes sexuels, il faudrait soulever la peau et les muscles qui les recouvrent. Seulement, les éléments les plus petits du corps humain ne se voient, eux, qu'au microscope, une sorte de loupe puissante. Et ils constituent un monde compliqué mais passionnant !
Et maintenant, sans plus attendre, nous allons comparer les hommes et les femmes, les garçons et les filles...

Ce microscope nous sera indispensable pour voir et étudier ce qui est infiniment petit. Aussi, chaque fois que nous l'utiliserons, vous verrez un microscope à côté du dessin.

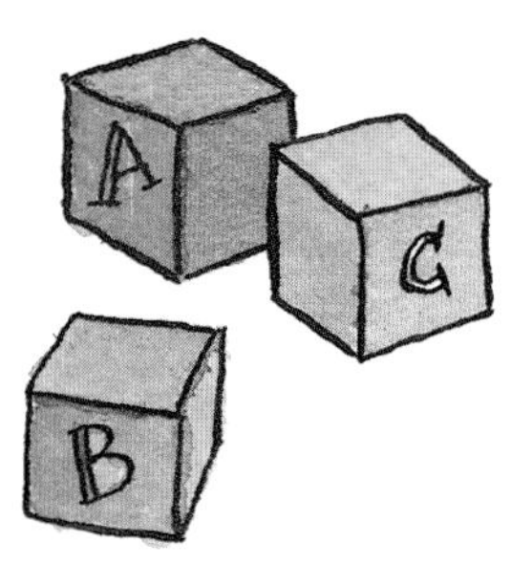

Regardez en bas ce dessin d'homme nu.

L'homme a les épaules larges, les hanches étroites, des poils sur la poitrine et au bas du ventre. Les petits garçons, eux, n'ont pas encore de poils mais ils ont, comme leur papa et comme tous les hommes, une sorte de tuyau, la verge, qui sert à faire pipi et qui sert aussi, nous le verrons, à faire l'amour. Sous la verge, dans une sorte de petit sac, se trouvent deux boules appelées les testicules. Souvent, les garçons appellent ça les « couilles ». Les testicules et la verge ne sont qu'une partie des organes sexuels. Nous allons maintenant regarder à l'intérieur de l'homme. Le canal à l'intérieur de la verge est relié au sac (dessiné en bleu) qui contient le pipi : c'est la vessie. C'est par là que le pipi, appelé aussi l'urine, s'écoule dans la verge, puis au-dehors.

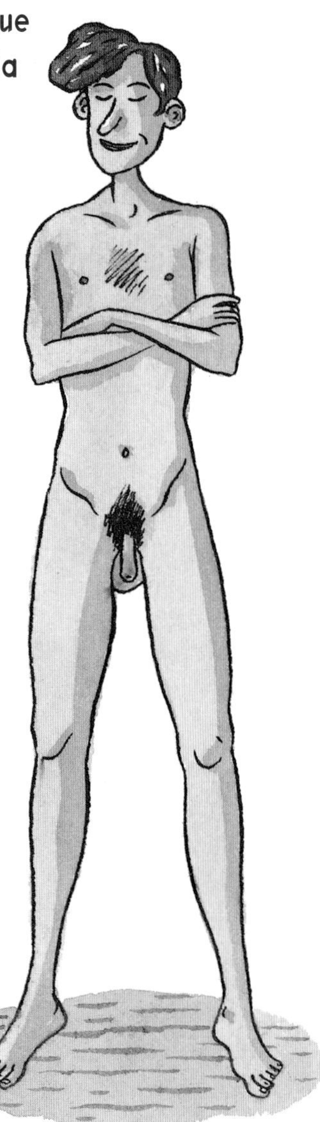

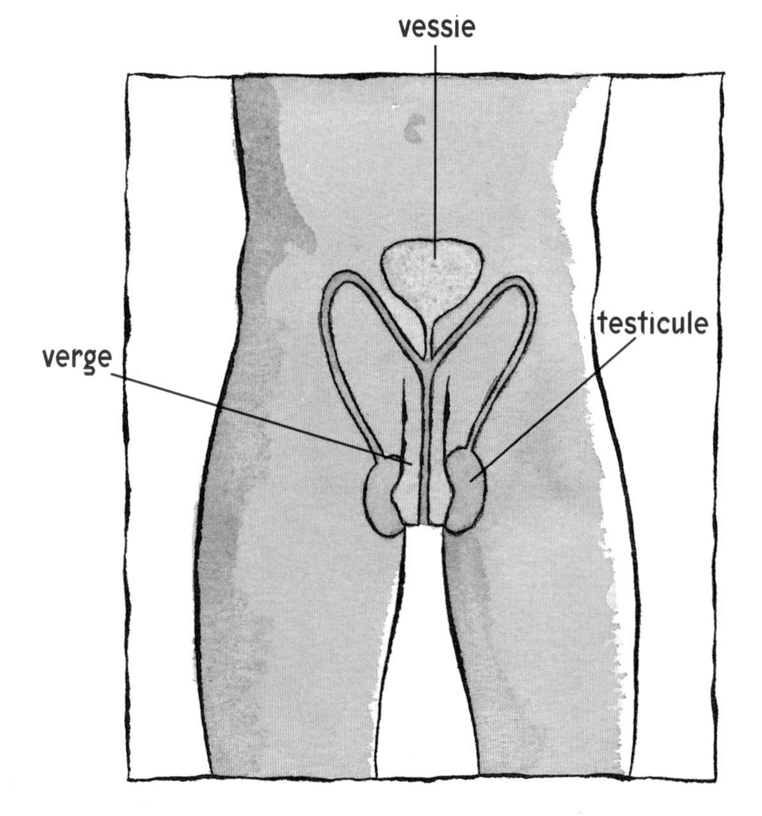

Plus tard, quand le garçon devient grand, un autre liquide pourra sortir de sa verge. Ce liquide vient des testicules et remonte de chaque côté par un petit canal qui se jette comme un affluent dans le canal de la verge. Ce liquide, c'est le sperme. Si vous regardez une goutte de sperme au microscope, vous voyez s'agiter une multitude de cellules avec une grosse tête et une longue queue frétillante. Ce sont des spermatozoïdes. Ça, c'est un mot compliqué ! Eh bien, pour qu'un bébé soit créé, il faut qu'un spermatozoïde rencontre une autre cellule sexuelle qui, elle, se trouve chez la maman, qu'on appelle ovocyte.

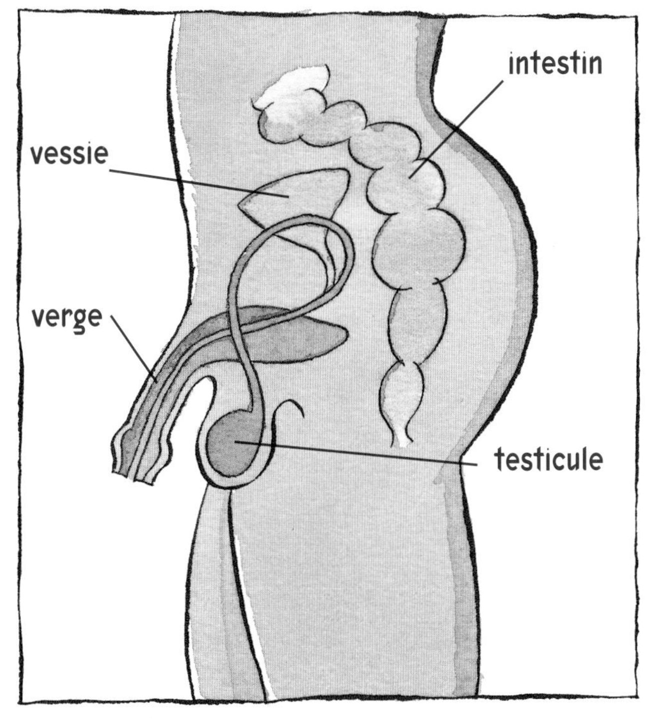

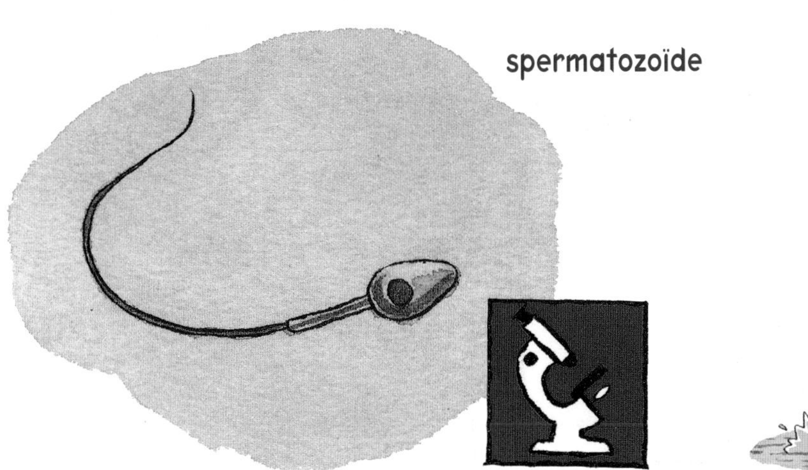

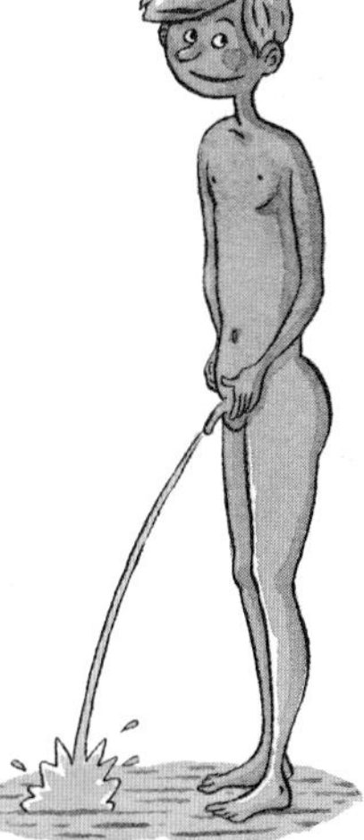

Regardons maintenant une femme toute nue.

Elle est généralement plus petite que l'homme, a les épaules plus étroites, mais les hanches plus larges. Ses seins ne sont pas plats comme chez l'homme, mais renflés et charnus.

Au bas du ventre, la femme a des poils comme l'homme, mais aussi une petite fente qu'on appelle la vulve. À l'intérieur du ventre, la vulve se continue par le vagin. C'est un canal qui communique avec l'utérus, sorte de poche qui a la forme d'une poire renversée : c'est là que se développe le bébé. En haut de l'utérus et de chaque côté, il y a un tube long et étroit, qu'on appelle les trompes car elles ressemblent à une trompette. Leur partie évasée s'étale devant une boule placée de chaque côté : ce sont les ovaires.

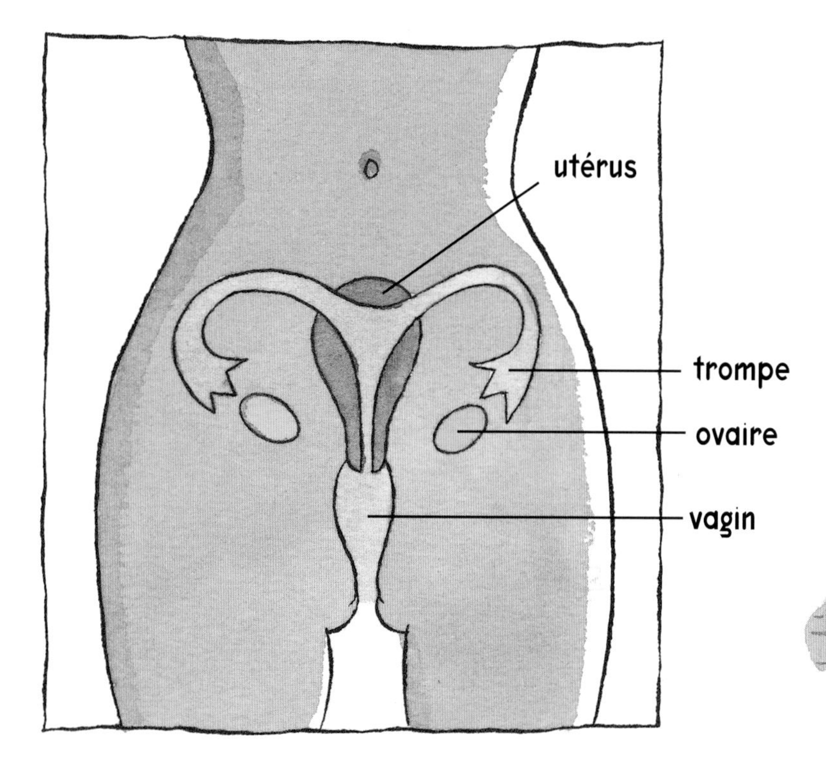

En regardant les ovaires au microscope, vous pourrez voir un grand nombre de points minuscules, gros comme des têtes d'épingles. Ces points seront les futurs ovocytes. Ceux-ci mûrissent peu à peu, comme les fruits. Et, chaque mois, un ovocyte mûr sort de l'ovaire pour descendre, par le petit tube, jusque dans l'utérus. Cet ovocyte devra rencontrer un spermatozoïde pour qu'il y ait un bébé.

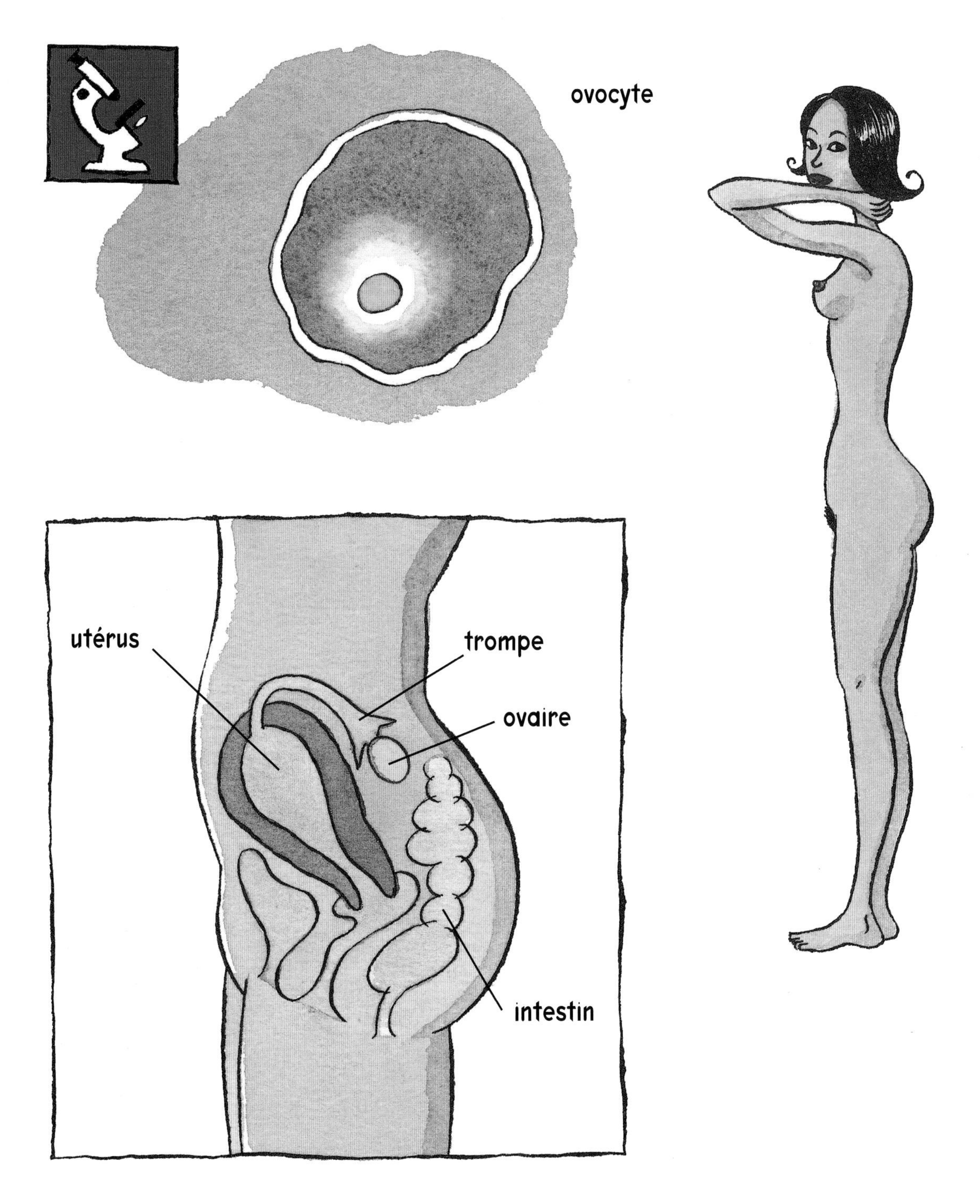

Maintenant, nous allons voir comment le spermatozoïde de l'homme et l'ovocyte de la femme se rencontrent pour former un bébé. Pour cela, il faut que l'homme et la femme fassent l'amour. C'est une chose très naturelle et les gens qui s'aiment adorent faire l'amour ensemble. Ils se déshabillent, s'embrassent, se caressent, se serrent l'un contre l'autre, et puis il arrive un moment où l'homme et la femme ont envie de se mêler plus intimement, afin d'avoir encore plus de plaisir. La verge de l'homme se durcit et se gonfle pour pouvoir pénétrer dans le vagin de la femme. Ce moment est souvent un moment de grand bonheur. Les parents ressentent du plaisir sexuel — un plaisir qui peut durer longtemps et qu'on peut éprouver plusieurs fois de suite.

Au moment où le plaisir est le plus vif, les spermatozoïdes sortent de la verge de l'homme. Ils se répandent dans le vagin de la femme, puis dans l'utérus, et remontent dans la trompe où l'un d'entre eux pourra rencontrer un ovocyte mûr, qui descend de l'ovaire une fois par mois. De leur rencontre naîtra un bébé.

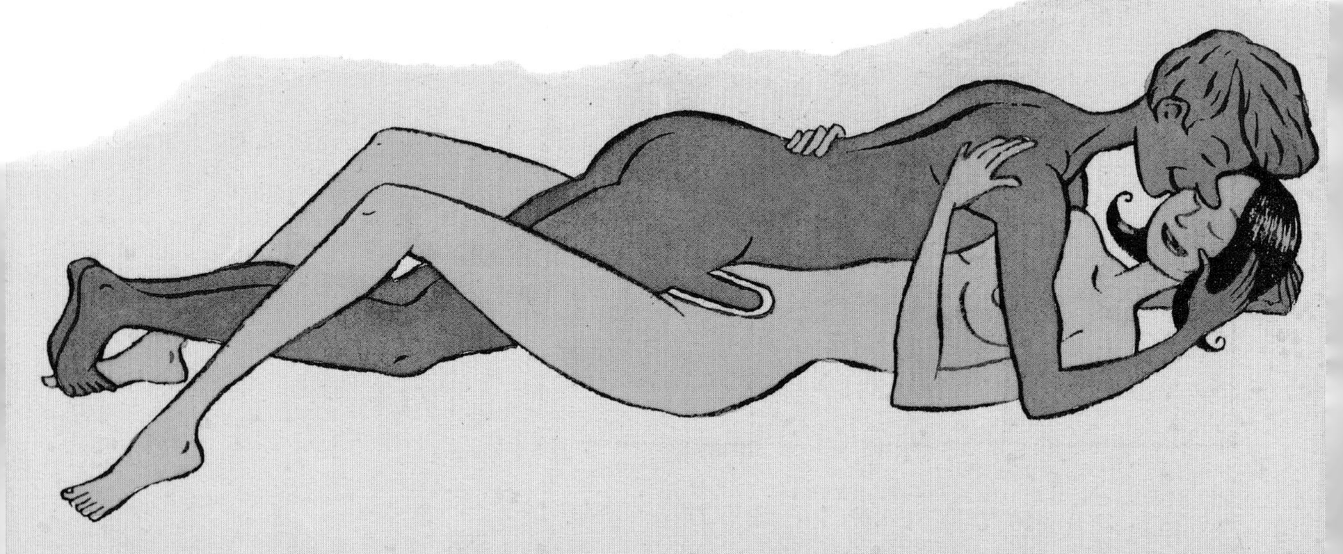

Mais un homme et une femme n'ont pas un enfant chaque fois qu'ils font l'amour. Le plus souvent, ils décident d'en avoir un s'ils sont sûrs de s'aimer vraiment et parce que c'est ce qu'ils souhaitent le plus au monde. Pour cela, ils attendent de se connaître mieux.

Quand ils font l'amour, au début, et parce qu'il est trop tôt pour qu'ils aient un enfant, ils prennent des précautions pour éviter la rencontre de l'ovocyte et du spermatozoïde. La femme avale tous les jours une pilule qui l'empêche d'avoir des bébés, ou bien l'homme entoure sa verge d'un étui en caoutchouc très fin. Cet étui s'appelle un préservatif. Comme ça, ils peuvent continuer à se donner du plaisir sans risquer de faire un enfant.

Les bébés et les jeunes enfants aiment se caresser, toucher leurs organes sexuels. Les garçons et les filles de votre âge aussi aiment bien se caresser, se regarder nus dans la glace, ou jouer à découvrir ensemble leur corps.
Car le plaisir est une chose qu'on apprend et qu'on apprécie toute la vie. Mais ce n'est que vers la puberté que le jeune garçon et la jeune fille peuvent faire l'amour.

Revenons maintenant à notre petit spermatozoïde et à l'ovocyte. L'homme et la femme ont fait l'amour. Ils se reposent tendrement l'un contre l'autre. Pendant ce temps, dans le ventre de la femme, le spermatozoïde a rencontré un ovocyte. Regardez bien le dessin : un bébé va se former. Le spermatozoïde se mélange à l'ovocyte. Ils forment, en se mélangeant, une petite boule qu'on appelle œuf.

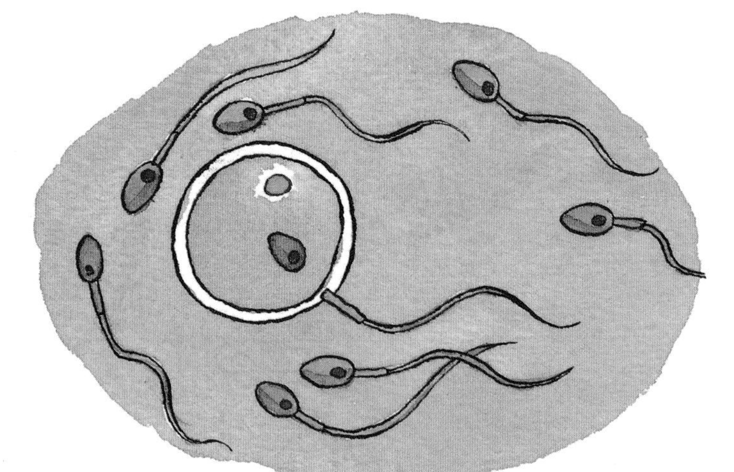

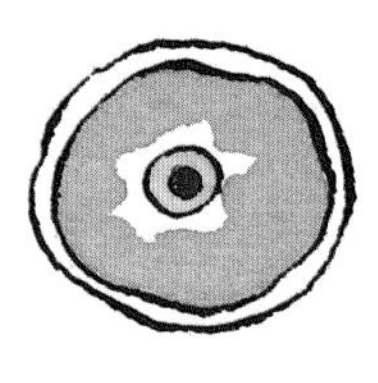

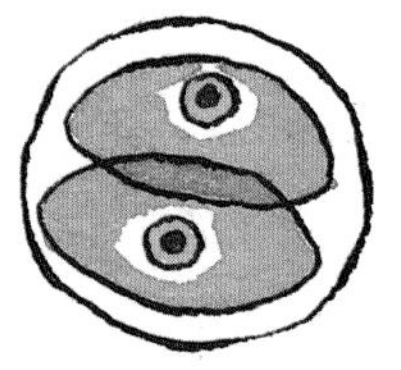

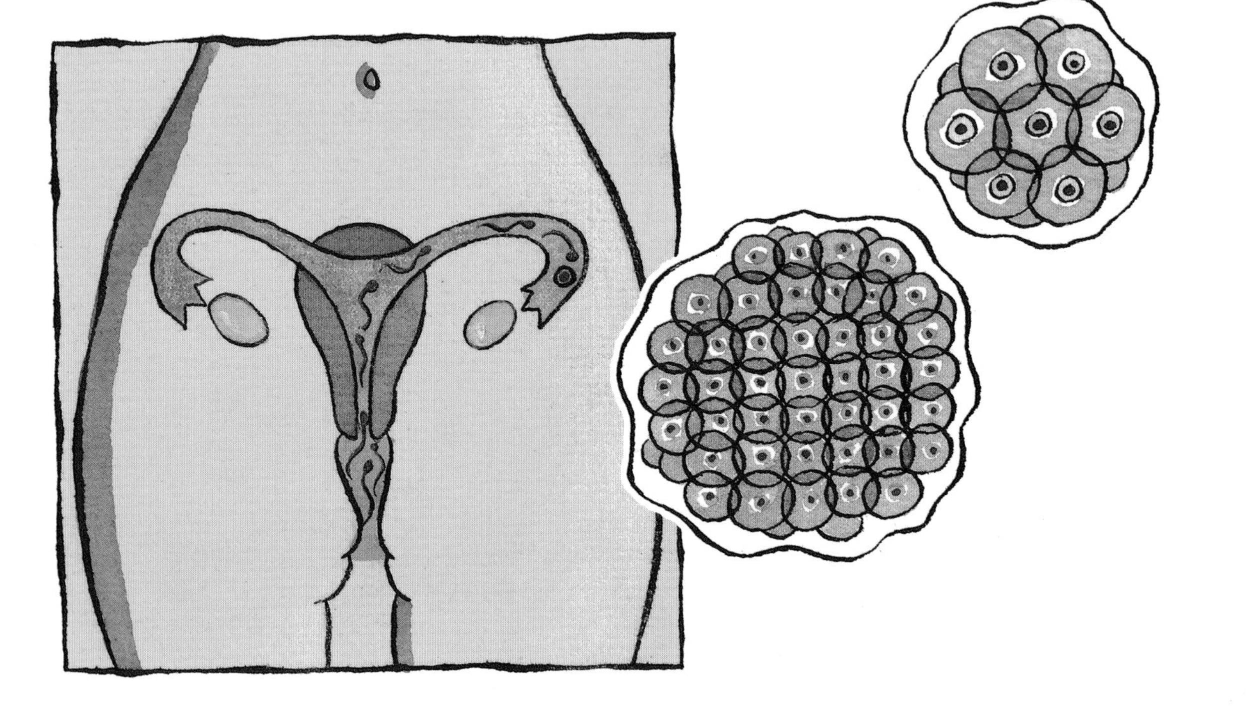

L'œuf se divise en deux parties, puis en quatre, puis en huit, et ainsi de suite. Mais ces parties restent soudées les unes aux autres ; c'est maintenant une boule irrégulière, moins grosse qu'une tête d'épingle.

Puis l'œuf grossit encore et roule dans la trompe, il se dirige vers l'utérus qui, vous vous en souvenez, ressemble à une poire. L'œuf pénètre à l'intérieur puis va s'accrocher à la paroi de l'utérus. Le papa et la maman ont créé un futur petit garçon ou petite fille.

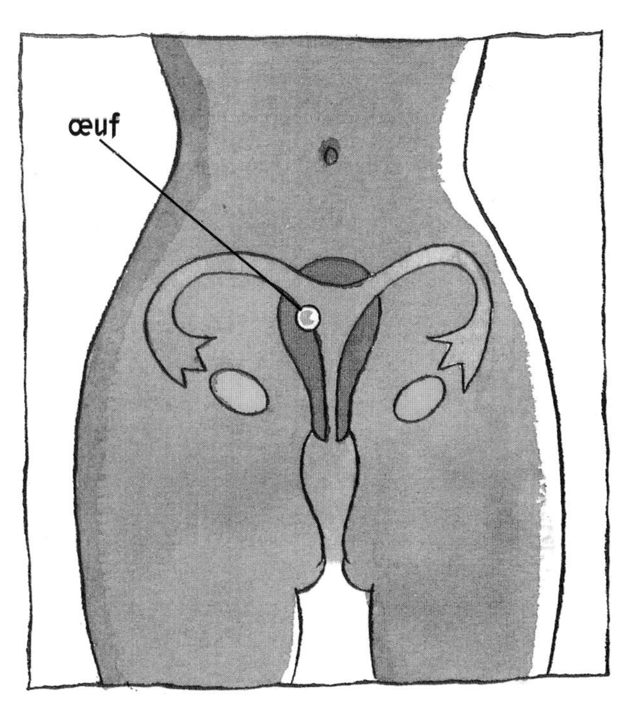

Une fois dans l'utérus, l'œuf ne bouge plus. Le sang de la maman circule dans la paroi de l'utérus et apporte à l'œuf tous les éléments dont il a besoin pour grossir. L'œuf, en grossissant, change de forme. Il devient lentement un tout petit être humain. Bien au chaud dans cette grande poche, il ne cesse de se développer.

Neuf mois après la rencontre du spermatozoïde et de l'ovocyte, le bébé est prêt à naître. Cette période de neuf mois est pour la maman le temps de la grossesse.

Pendant les quatre premiers mois de la grossesse, le bébé se forme. Mais il est tout petit. À ce moment-là, si la maman se regarde dans une glace, elle ne voit rien de plus que d'habitude. Elle garde sa « ligne ».

Au bout de quatre mois, le bébé est devenu plus grand, et l'utérus, qui est élastique, se distend progressivement. C'est l'époque où la maman découvre un petit renflement au bas de son ventre et où elle commence à sentir le bébé bouger.

Jusqu'à 4 mois

4 mois

À la fin du sixième mois, le bébé pèse près d'un kilo et mesure de vingt à trente centimètres. Cette fois, le ventre de la maman devient très rond. Elle porte des vêtements larges plus confortables.

Le bébé, pour tenir le moins de place possible, se pelotonne dans l'utérus. On dirait un petit chat endormi. Il bouge souvent, mais il garde presque toujours la tête en bas.

6 mois

8 à 9 mois

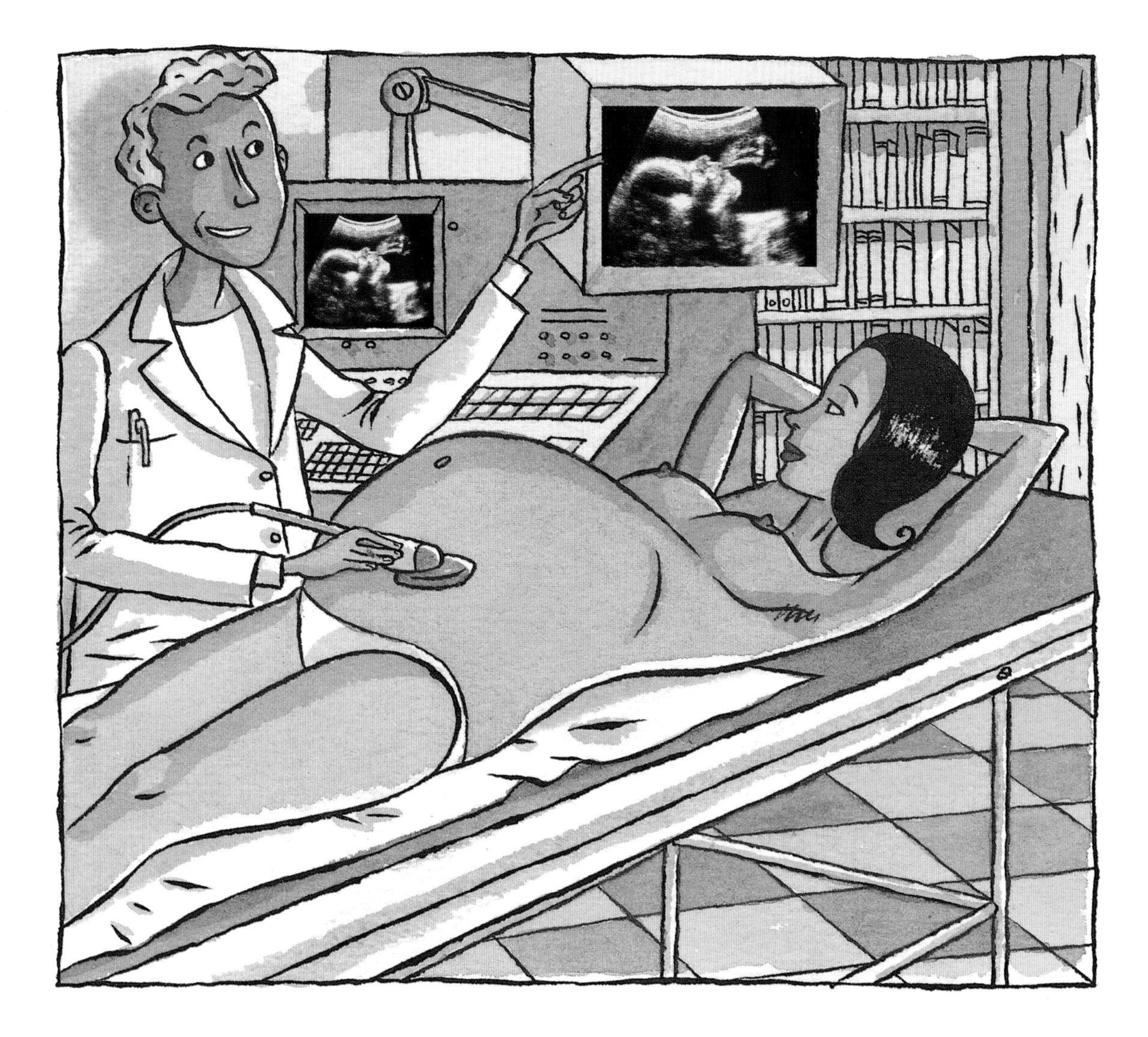

Il y a quelques années, les parents ne pouvaient pas connaître le sexe de leur enfant avant sa naissance. Ils ignoraient s'ils allaient avoir un garçon ou une fille. Mais aujourd'hui, s'ils le désirent, ils peuvent le savoir, grâce à l'échographie qui permet de voir à l'intérieur du ventre de la maman. Comme ça, à partir du quatrième mois de la grossesse, ils connaissent le sexe de leur bébé. C'est ainsi que tante Laurence sait qu'elle va avoir un petit garçon.
Le bébé a un sexe dès le début de la grossesse. Il dépend du spermatozoïde qui a rencontré l'ovocyte : en effet, une moitié des spermatozoïdes peuvent fabriquer une fille, et l'autre moitié un garçon.

Le bébé est maintenant capable de vivre tout seul. L'utérus va alors se contracter pour pousser le bébé dehors.
La maman sent immédiatement les contractions de l'utérus. Ce sont d'abord des contractions légères et espacées ; mais, très vite, la maman comprend que la naissance du bébé, l'accouchement, commence. Tante Laurence a prévu ce jour depuis longtemps. Avec oncle Jacques, elle a préparé les affaires de bébé dans une valise. Tous les deux partiront à la maternité. Là, la sage-femme, qui aide à mettre les enfants au monde, accueille la maman et l'assistera jusqu'à l'arrivée du bébé.

Tante Laurence n'a pas peur de l'accouchement. Depuis quelques mois, elle a suivi les leçons que la sage-femme ou le médecin donnent aux futures mamans. Ils leur montrent sur des dessins, comment se déroule la naissance. Et aussi ce qu'elles doivent faire pour que tout se passe bien. Tante Laurence a compris que, pour l'accouchement, il faut être en forme. Alors, elle s'est entraînée.

D'abord, elle a appris à respirer très profondément et très régulièrement, pour que l'oxygène arrive bien dans tous ses muscles. Elle a fait aussi de la gymnastique. C'est une gymnastique spéciale, très facile, et qui rend le corps plus souple. La maman arrive très vite à faire les mouvements sans aucune fatigue.

Enfin, comme les sportifs, elle a évité tout ce qui pourrait lui faire du mal. Elle mange des plats légers, sans sauce, pour ne pas prendre de poids. Elle boit le moins possible de vin et de café, et elle a cessé de fumer. Car tout cela n'est pas bon pour le bébé.

Papa s'interrompt un instant puis dit : maintenant les enfants, soyez très attentifs car je vais vous raconter un moment qui sera exceptionnel : l'accouchement de tante Laurence.

La maman est couchée sur un lit, entourée de papa et de la sage-femme. Elle n'a pas peur ; elle est heureuse. Lorsque la maman le désire, le médecin peut lui faire une piqûre dans le dos. Grâce à cette piqûre, appelée péridurale, la maman ne ressentira aucune douleur pendant toute la durée de l'accouchement.

D'abord, l'utérus commence à se contracter et à s'ouvrir, très lentement. Puis il se contracte de plus en plus fort et de plus en plus vite. Le bébé progresse vers la sortie ; mais, comme l'ouverture se fait lentement, il avance avec peine. Lorsque l'ouverture est complète, la maman, pour l'aider, pousse à chaque contraction. Comme elle s'est exercée à respirer tranquillement, elle ne s'essouffle pas.

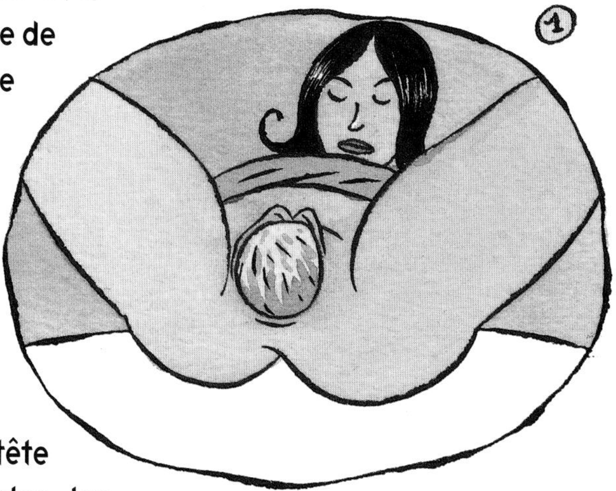

Le bébé avance, avance ; et enfin sa tête arrive devant l'ouverture du vagin, entre les cuisses de la maman. Cette ouverture se distend, car la peau est souple. Quand la tête du bébé apparaît, la sage-femme ou le médecin l'aident à sortir.

Et voilà le bébé dehors ! Un cordon, qui part de son ventre, le relie encore à l'utérus de la maman. C'est le cordon ombilical qui, depuis neuf mois, lui a procuré la nourriture dont il avait besoin.

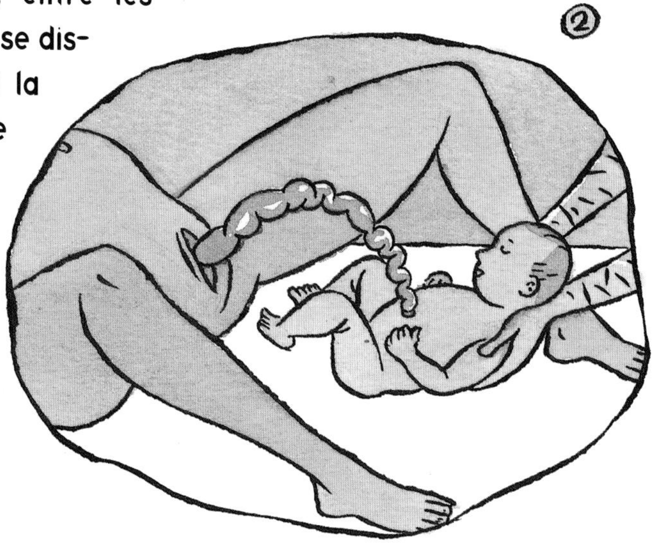

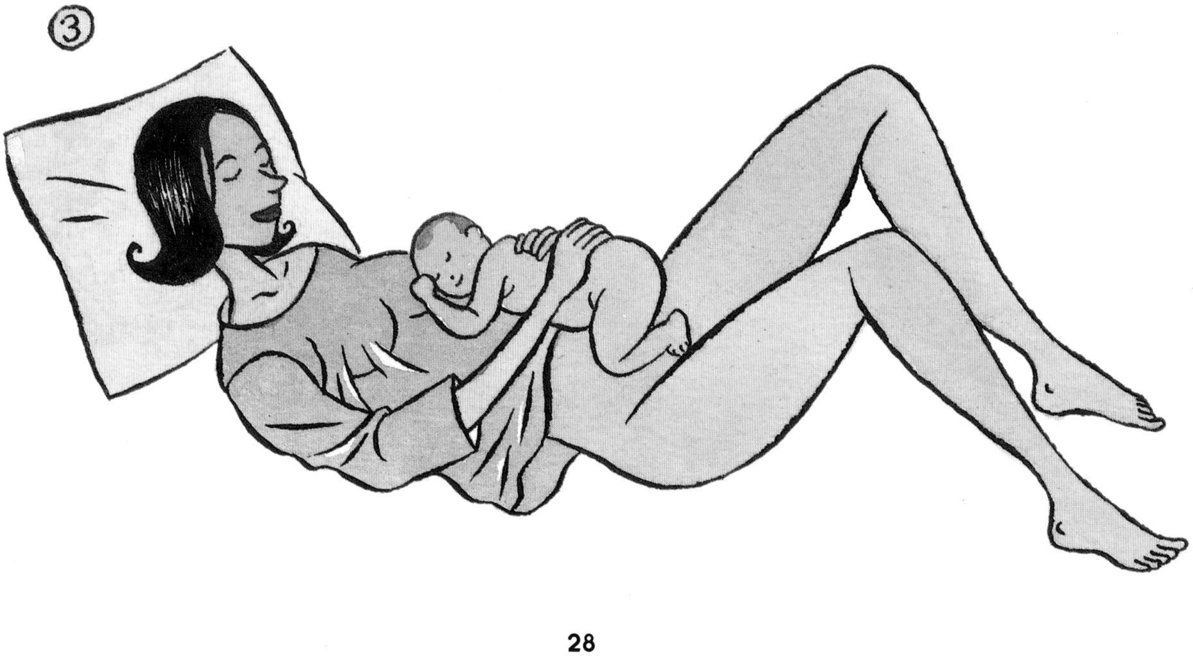

La sage-femme, et de plus en plus souvent le papa, coupe le cordon. Cela ne fait mal ni à la maman ni au bébé. Le bébé gardera seulement une cicatrice : c'est le nombril. Le bébé respire pour la première fois et pousse un cri. La sage-femme le montre à sa maman qui est fatiguée, mais heureuse.

Puis la sage-femme le lave, le pèse, l'habille et le met dans son berceau pour qu'il n'attrape pas froid. Maintenant qu'il est sorti du ventre de sa maman, le bébé, bien petit et bien fragile, est incapable de se débrouiller tout seul. La maman est là pour s'occuper de lui. Mais pour l'instant, fatiguée, elle s'endort, son bébé tout près d'elle.

À son réveil, le bébé a faim, mais il ne sait pas se nourrir tout seul. Sa maman va alors l'allaiter. En effet, aussitôt après l'accouchement, le lait a commencé à gonfler ses seins.

Elle peut aussi, elle ou papa, lui donner un biberon. Oncle Jacques et tante Laurence, dans les semaines, les mois, les années à venir, seront très occupés.

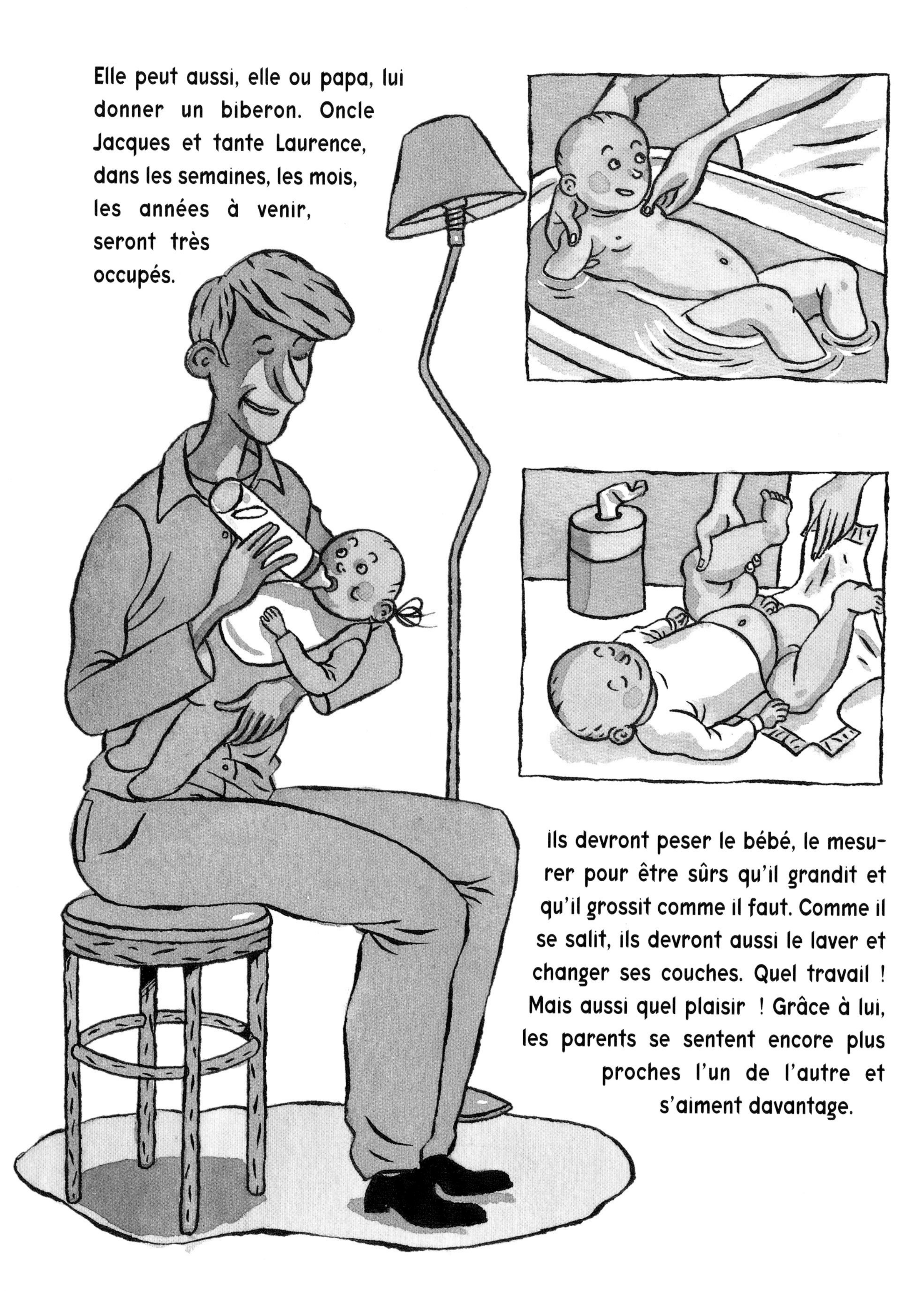

Ils devront peser le bébé, le mesurer pour être sûrs qu'il grandit et qu'il grossit comme il faut. Comme il se salit, ils devront aussi le laver et changer ses couches. Quel travail ! Mais aussi quel plaisir ! Grâce à lui, les parents se sentent encore plus proches l'un de l'autre et s'aiment davantage.

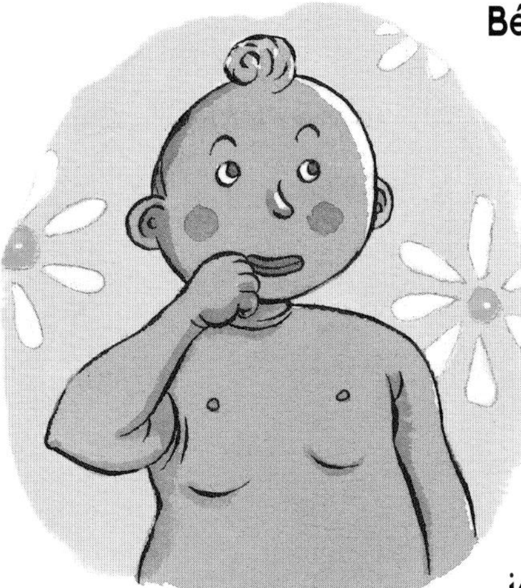

Bébé se sent aimé et protégé. Il commence à trouver la vie agréable. Il suit des yeux ses parents et leur sourit.

Bientôt, bébé s'aperçoit qu'il a des mains, il les observe en gazouillant. Il aime être tout nu, gigoter et jouer aussi avec ses pieds !

Maintenant bébé ne passe plus toute la journée dans son berceau. Il reste assis des heures entières au milieu de ses jouets. Et le jeu pour lui est un plaisir. Un peu plus tard, il apprendra à aller sur le pot et à devenir propre.

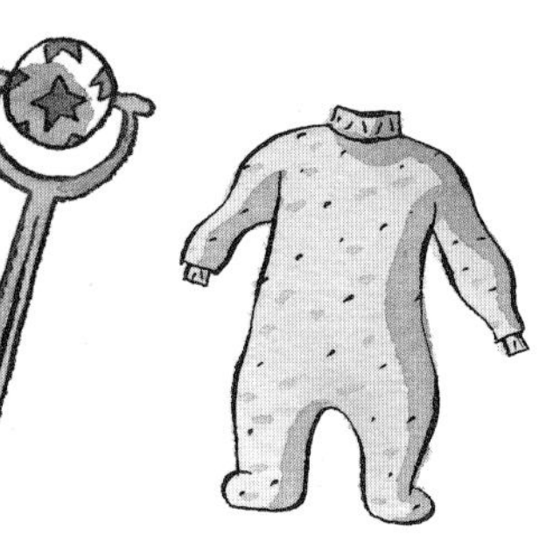

Bébé fait des progrès tous les jours. Quand un jouet tombe loin de lui, il va le chercher, car il sait désormais se déplacer à quatre pattes. Il avance même très vite.

Bientôt, il s'aperçoit qu'il peut tenir sur ses jambes, comme papa et maman.

Et un beau jour, après et avec beaucoup d'efforts, il marche tout seul ! Ses parents le félicitent, ils sont contents de voir qu'il se débrouille sans leur aide. Ils lui apprennent aussi à manger seul, à s'habiller. Mais il est encore petit et fait beaucoup de bêtises. Il a toujours besoin de beaucoup d'attention et de tendresse.

Voilà, vous savez comment on fait un enfant, conclut papa. Toutefois, il y a peut-être des choses qui vous paraissent étranges. Par exemple, le fait qu'il y ait des jumeaux.
Là, Amandine et Florent qui ont écouté passionnément toute l'histoire, ne peuvent s'empêcher de s'exclamer :
– Oh ! oui ! des jumeaux ! explique-nous, pourquoi il y a des jumeaux !
– Eh bien, c'est qu'un jour, il y avait dans le ventre de maman non pas un ovocyte mais deux qui étaient sortis de l'ovaire en même temps. Si chaque ovocyte a rencontré un spermatozoïde et si deux œufs se sont formés, on a alors ce qu'on appelle des « faux jumeaux ». Ils peuvent être de sexes différents.

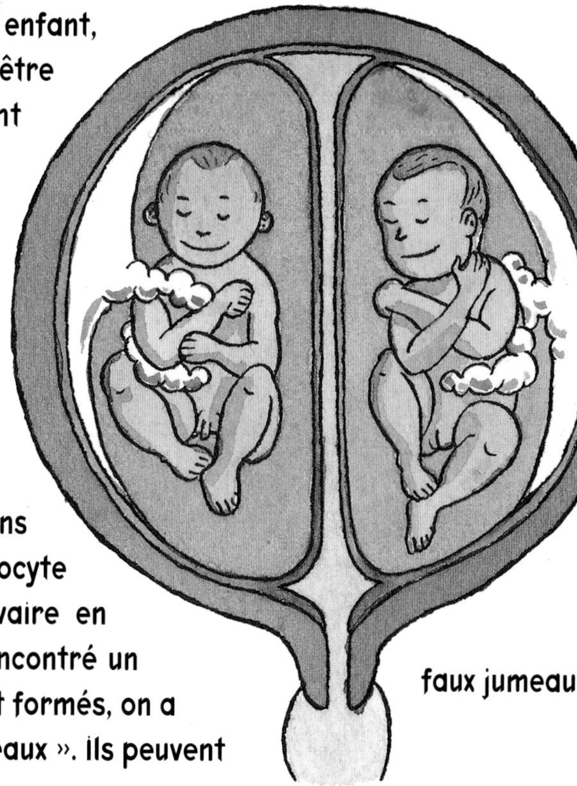

faux jumeaux

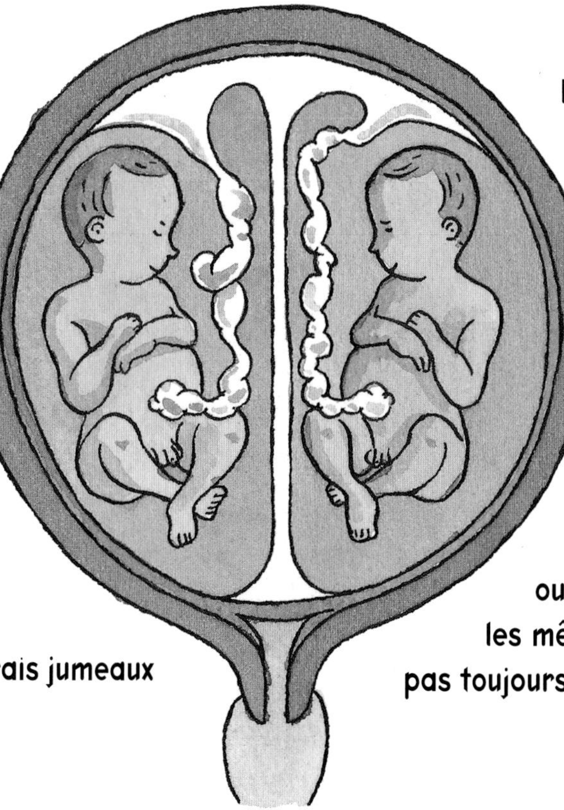

Mais il y a une autre façon d'avoir des jumeaux. Ceux-là, on les appelle des « vrais jumeaux », parce qu'ils proviennent du même œuf. Celui-ci est le résultat de la rencontre d'un ovocyte et d'un spermatozoïde qui s'est coupé en deux pour donner deux œufs parfaitement identiques. Ils vont grossir chacun de leur côté. Ces jumeaux-là, tous les deux du même sexe, fille ou garçon, auront le même physique et les mêmes traits de caractère, ce qui n'est pas toujours le cas des « faux jumeaux ».

vrais jumeaux

Pour la naissance de jumeaux, l'accouchement est plus long. Il arrive aussi que le bébé ne sorte pas la tête la première mais en présentant ses fesses, ce qui rend également l'accouchement un peu plus difficile.
Si le bébé n'a pas du tout la place pour passer, il faut endormir la maman et pratiquer une intervention chirurgicale qu'on appelle une césarienne. Le bébé sort alors par une ouverture faite sur le ventre. Ce n'est pas dangereux et cela se passe très vite.
Il arrive également que certains bébés naissent avant la fin de la grossesse, au bout de sept ou huit mois. Ces bébés-là sont encore très fragiles. On doit les placer dans une espèce de nid appelé une couveuse. Là, ils sont au chaud comme dans le ventre de maman. Ils sont protégés des microbes, et au bout de quelques semaines, ils peuvent dormir normalement dans un berceau.

D'ici quelques années, le bébé de tante Laurence aura grandi. Il sera devenu une petite fille ou un petit garçon. Il est temps alors de l'emmener à l'école maternelle. Le premier jour, il est parfois triste de quitter ses parents. Mais il s'habitue vite à vivre avec d'autres enfants et se fait plein d'amis. Il y en a des bruns, des blonds, il y a des petits enfants noirs, arabes ou encore avec des yeux bridés qui viennent d'Asie. Et c'est amusant de voir toutes ces différences. Pendant la classe, les enfants s'amusent, apprennent à reconnaître des objets, à les manipuler, sans se faire mal. Ils inventent de nouveaux jeux, racontent des histoires, posent des questions. La maîtresse leur apprend à dessiner, à former des lettres. Pendant la récréation, elle organise des jeux, chante des chansons et parle avec chacun d'eux. Le soir, à la maison, papa et maman demandent au petit écolier ce qu'il a fait dans sa journée. Et il a chaque soir de nouvelles choses à leur raconter, car il fait sans cesse des progrès.

Et bientôt le bébé sera grand, il aura 7 ans comme vous, il y a quelques jours. L'été dernier, vous étiez contents de pouvoir rester tout nus sur la plage. Après une année d'école, quel plaisir de courir, de se baigner, de rester des heures au soleil ! Il faut tout de même faire attention à certains adultes qui peuvent éprouver un désir sexuel pour les jeunes enfants comme vous. C'est pour cela qu'il ne faut pas suivre les gens que l'on ne connait pas et surtout dire tout de suite aux parents si quelqu'un vous a touché ou caressé sans que vous soyez d'accord.

Le garçon et la fille que vous voyez là sont déjà plus âgés que votre sœur Julie et son copain. La jeune fille est devenue grande et mince, ses seins se sont développés et elle les trouve très jolis. Sous ses bras et au bas de son ventre, des poils ont poussé. Elle ressemble de plus en plus à sa maman.
Le garçon lui aussi a des poils. Il parle maintenant d'une voix grave, presque comme papa. Il est très fier, car ses épaules deviennent de plus en plus larges, et ses hanches sont étroites. Il veut avoir l'air sportif.
Ce garçon et cette fille ne sont plus des enfants, mais des adolescents, termine papa.

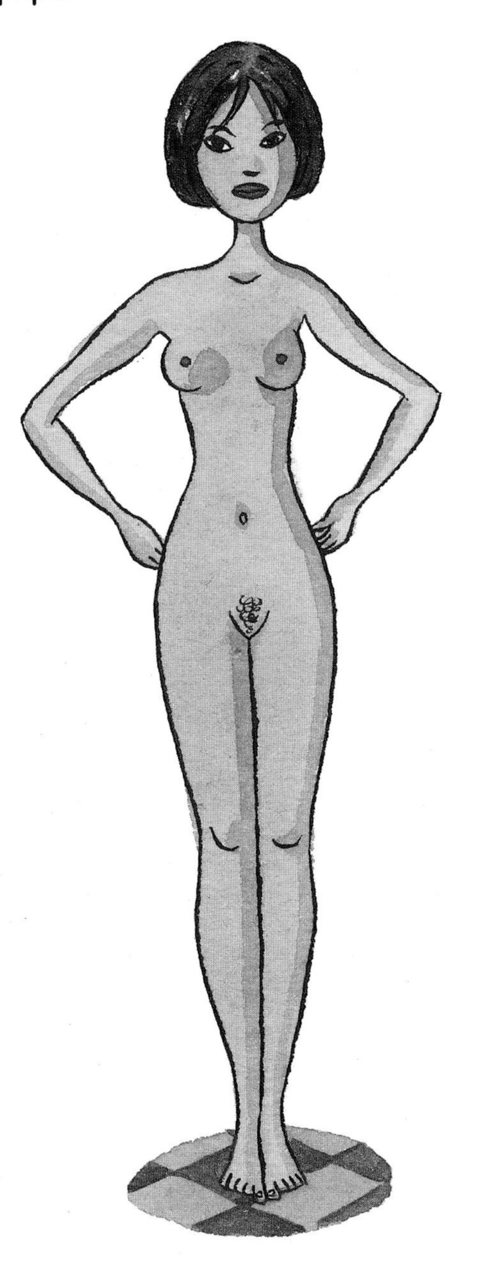

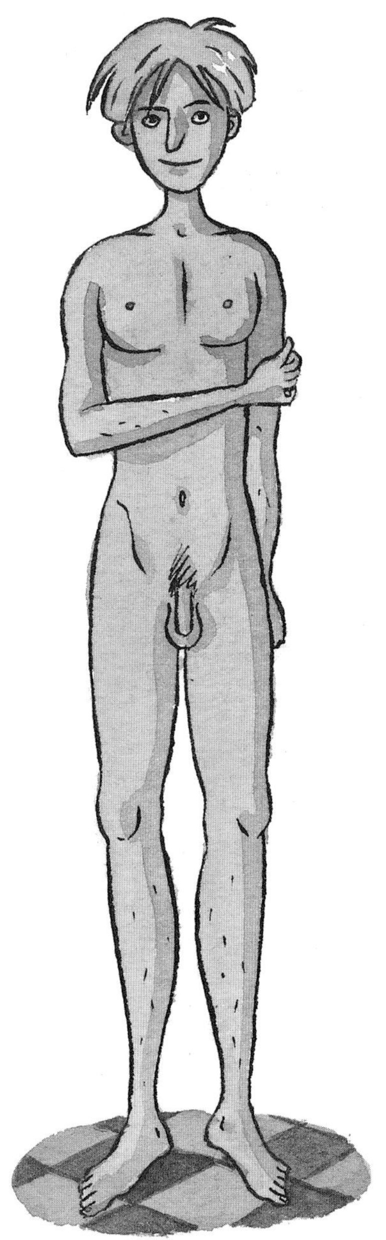

– Et les animaux ? demande Florent toujours aussi curieux, comment font-ils pour avoir des bébés ? Est-ce qu'ils font aussi l'amour ?

– Tous les animaux font l'amour, dit maman. Les oiseaux, les chiens, les chats, tous.

– Eux aussi ont des sper... des sper..., s'embrouille Amandine.

– Des spermatozoïdes, dit maman. Oui, bien sûr. Les spermatozoïdes du mâle pénètrent dans le vagin de la femelle et un bébé se formera qui grossira dans le ventre de la maman. Après, quand il est assez grand, la maman peut le mettre au monde. Les chiennes, par exemple, ont des mamelles pour nourrir les chiots.

– Et les poules alors, et les oiseaux, comment ont-ils des œufs ? demande Amandine.

– Chez la poule, la chose se passe de la même façon, sauf que les bébés sont protégés par une coquille.

Le coq a des testicules et un petit organe qui lui permet de déposer les spermatozoïdes dans la poule. Celle-ci a des ovaires. Les spermatozoïdes du coq, lorsqu'il s'accouple avec la poule, vont aussi à la rencontre des ovocytes. Il y a beaucoup d'ovocytes mûrs, et il se forme un grand nombre d'œufs. Mais la poule pond les œufs avant que le poussin soit formé.

Les œufs sont protégés par la coquille et, pour les maintenir au chaud, la poule se couche dessus ; on dit qu'elle couve. Le poussin se développe dans l'œuf. Quand son bec devient assez dur, il brise la coque de l'œuf et sort. Il est déjà assez fort pour courir et chercher des graines à manger.

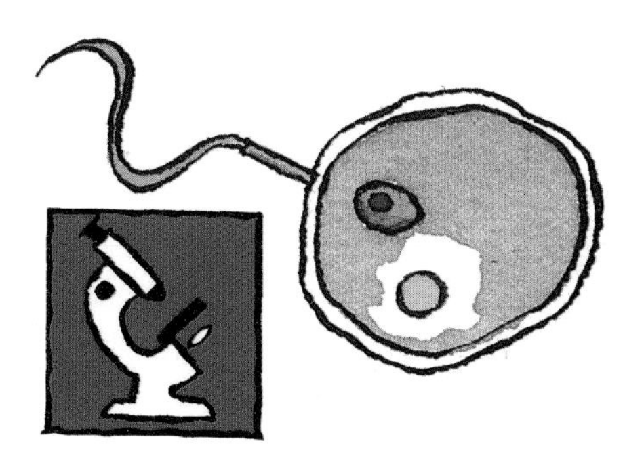

– Et pour les fleurs, poursuit papa, il y a aussi des mâles et des femelles. Parfois les deux se trouvent sur le même pied, comme pour le maïs ; d'autres fois sur des pieds différents, comme pour le dattier.
Prenez une fleur. Vous pouvez la couper dans le sens de la longueur ; et vous trouvez un assemblage de petits éléments : ici, les étamines et là, le pistil. Dans le pistil, il y a les mêmes têtes d'épingle que dans les ovaires de la femme : ce sont des ovocytes. Cette poudre jaune, qui couvre les étamines, c'est le pollen.
Lorsque les grains de pollen entrent dans le pistil, chaque grain se mélange avec un ovocyte et il se forme une graine.

pistil

étamine

La graine dans le fruit, c'est le noyau. Autour de cette graine se développe un fruit qui représente un nouvel individu : le « bébé » de la plante. Certains fruits ont plusieurs petits noyaux, les pépins.
Le jardinier sème cette graine dans la terre ou, s'il n'y a pas de jardinier, le vent emporte les graines qui s'enfoncent toutes seules dans le sol. Au bout de quelque temps, la graine grossit, et une petite plante toute neuve se forme, et sort de terre. Puis elle se développe et fleurit, et tout recommence...

Glossaire

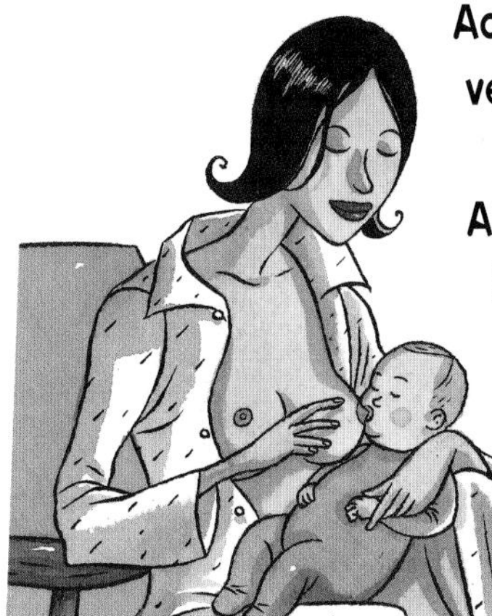

Accouchement : événement durant lequel le bébé sort du ventre de la maman.

Allaitement : acte par lequel la maman donne le sein au bébé. Elle le nourrit avec du lait.

Césarienne : ouverture pratiquée sur le ventre de la maman lors de l'accouchement, si le bébé n'a pas la place de passer.

Cordon ombilical : cordon qui part du ventre du bébé et qui le relie à l'utérus de la maman. C'est par le cordon ombilical que, pendant neuf mois, parvient au bébé la nourriture dont il a besoin.

Couveuse : quand les bébés naissent avant le terme de la grossesse, ils sont fragiles : on les place alors dans une espèce de nid appelé couveuse qui les protège des microbes.

Échographie : examen médical qui permet de voir à l'intérieur du ventre de la maman et de connaître, si on veut, le sexe du bébé.

Grossesse : période de neuf mois maximum à partir de la rencontre d'un spermatozoïde et d'un ovocyte, et au bout de laquelle le bébé est prêt à naître.

Jumeaux : ce sont des enfants nés d'un même accouchement.

Œuf : futur bébé né de la rencontre d'une cellule sexuelle féminine, l'ovocyte, et masculine, le spermatozoïde.

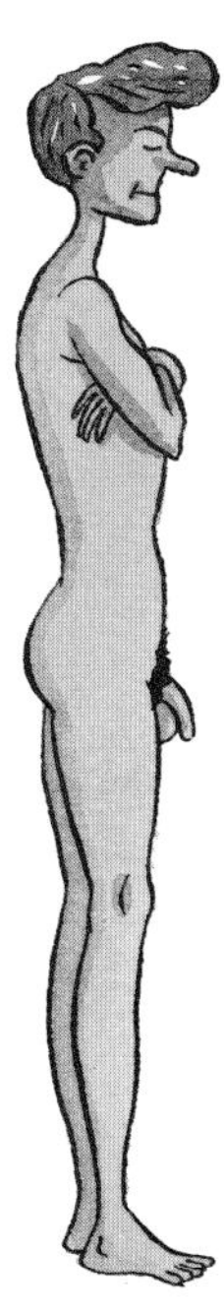

Organes sexuels : parties du corps qui permettent au papa et à la maman de faire des bébés.

Ovaires : petites boules de chaque côté de l'utérus qui contiennent les cellules sexuelles féminines.

Ovocyte : cellule sexuelle féminine. Chaque mois, un ovocyte descend jusque dans l'utérus. S'il rencontre un spermatozoïde, un bébé peut se former.

Pilule : si elle le désire, la femme avale tous les jours une pilule qui l'empêche d'avoir des bébés.

Préservatif : étui en caoutchouc très fin que l'homme met sur son sexe pour ne pas faire de bébé, ou éviter la propagation de maladies sexuellement transmissibles.

Spermatozoïdes : cellules sexuelles masculines. Au microscope, elles ont une grosse tête et une longue queue frétillante.

Sperme : liquide qui sort de la verge et qui contient les cellules sexuelles masculines, les spermatozoïdes.

Testicules : boules derrière la verge, dans une sorte de petit sac.

Trompes : tubes longs et étroits qui partent de l'utérus, de chaque côté, et qui ressemblent à une trompette.

Utérus : sorte de poche dans le ventre de la femme qui a la forme d'une poire renversée. C'est là que se développe le bébé.

Vagin : canal qui communique avec l'utérus.

Verge : sorte de tuyau qui sert à faire pipi et aussi à faire l'amour.

Vulve : petite fente qu'a la maman au bas du ventre et qui se continue par le vagin.

ISBN : 2.01.291858.1 - 29.06.1858.9/02
Dépôt légal : 1682 - octobre 1998
Imprimé et relié en France par Pollina s.a., 85400 Luçon n° 75852
Loi n° 49 956 du 16 juillet 1949 sur les publications destinées à la jeunesse